KU-640-529

# a Issy, Ed, Theo, Ruby e Tom

Traduzione di Ilva Tron

WWW.RAGAZZIMONDADORI.IT

MONDADORI-LIBRI PER RAGAZZI

@MONDADORI_LIBRI_RAGAZZI

© 2004 Alan Snow, per il testo e le illustrazioni
© 2005 Arnoldo Mondadori Editore S.p.A., Milano per l'edizione italiana
© 2015 Mondadori Libri S.p.A.,
Pubblicato per accordo con Atheneum Books for Young Readers,
an imprint of Simon & Schuster Children's Publishing Division, New York
Titolo dell'opera originale *How Santa Really Works*
Book designed by Polly Kanevsky
Prima edizione settembre 2005
Quinta ristampa novembre 2021
Made in China
ISBN 978-88-04-54650-4

Il mondo segreto di Babbo Natale

# Il mondo segreto di Babbo Natale

di Alan Snow

# Ti sei mai fatto delle domande su Babbo Natale?

Dove abita?

Come fa a sapere quel che desideri?

Come si procura la valanga di regali che distribuisce?

E come fa a sapere se sei stato buono?

Ci sono mille domande da porsi su Babbo Natale. Questo libro è stato scritto per spiegare tutto quello che c'è da scoprire sul suo conto e sulle sue attività. Cominceremo con...

# Dove abita Babbo Natale?

Babbo Natale (detto anche Santa Claus) vive sotto il Polo Nord, in una piccola, accogliente casetta sepolta tra neve e ghiaccio. Ogni mattina, appena sveglio, si alza, fa il bagno, si veste, fa colazione e poi scende al piano di sotto per iniziare la sua giornata di lavoro.

# Dove lavora Babbo Natale?

A casa sua c'è un mondo segreto, con tutto il necessario per "preparare" il Natale. Ci sono fabbriche, magazzini, sistemi di trasporto, un centro per le comunicazioni e molti altri uffici di vitale importanza. Qui scoprirai cosa fa e come funziona ogni singolo ufficio.

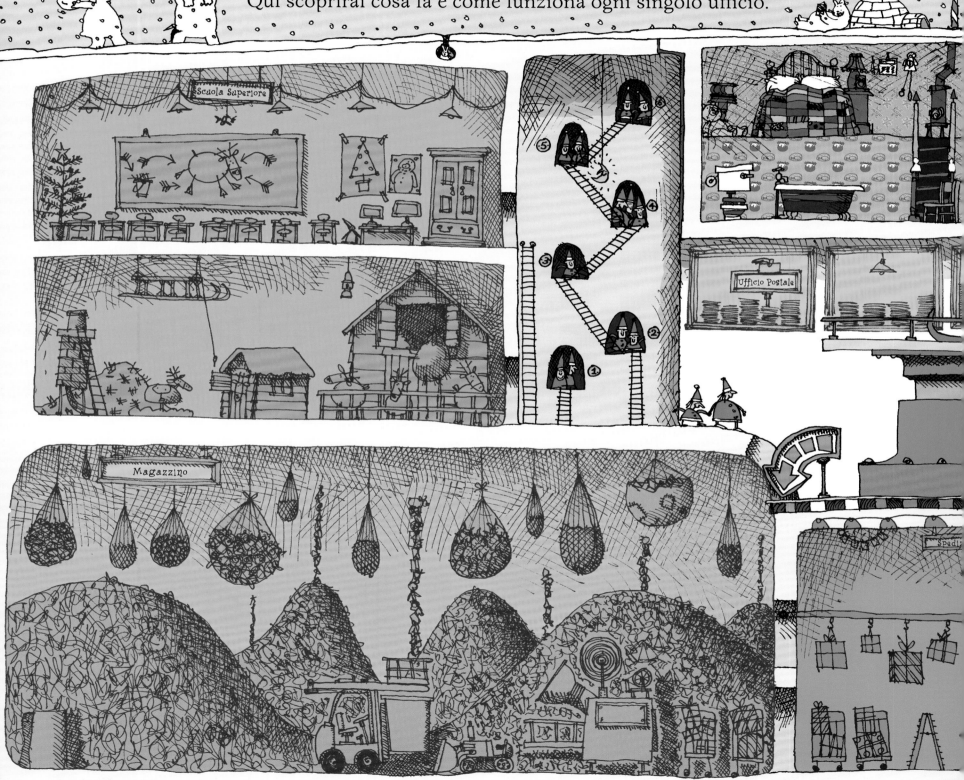

# Chi aiuta Babbo Natale?

Babbo Natale ha molti collaboratori, soprattutto elfi. Ogni anno ne vengono reclutati a centinaia e tutti quelli che riescono a farsi assumere abbandonano le loro case d'origine per trasferirsi al Polo Nord. Prima di iniziare, i nuovi arrivati devono sottoporsi a un intenso periodo di addestramento, presso la sede della SSE,* la scuola in cui imparano tutto sul Natale. Dopo la prima lezione introduttiva, chiamata Natale 101, gli elfi possono scegliersi un corso di specializzazione, impresa non facile perché ne esistono a dozzine!

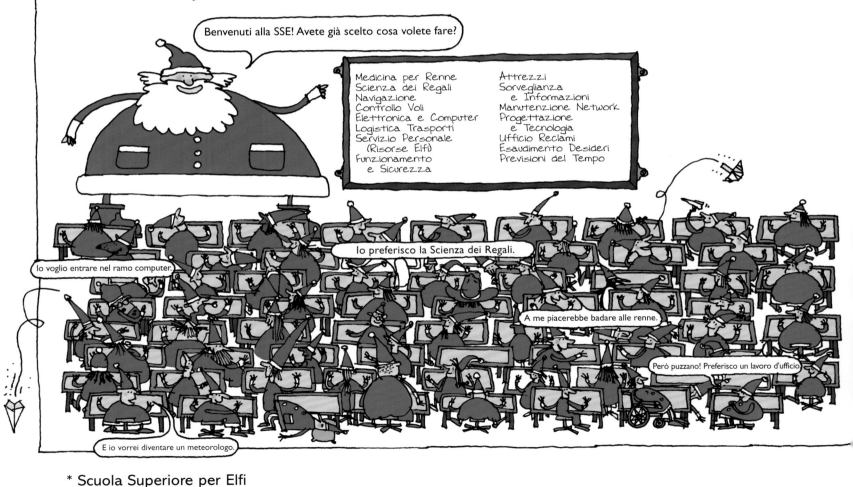

Benvenuti alla SSE! Avete già scelto cosa volete fare?

Medicina per Renne
Scienza dei Regali
Navigazione
Controllo Voli
Elettronica e Computer
Logistica Trasporti
Servizio Personale
 (Risorse Elfi)
Funzionamento
 e Sicurezza

Attrezzi
Sorveglianza
 e Informazioni
Manutenzione Network
Progettazione
 e Tecnologia
Ufficio Reclami
Esaudimento Desideri
Previsioni del Tempo

Io voglio entrare nel ramo computer.

Io preferisco la Scienza dei Regali.

A me piacerebbe badare alle renne.

Però puzzano! Preferisco un lavoro d'ufficio.

E io vorrei diventare un meteorologo.

* Scuola Superiore per Elfi

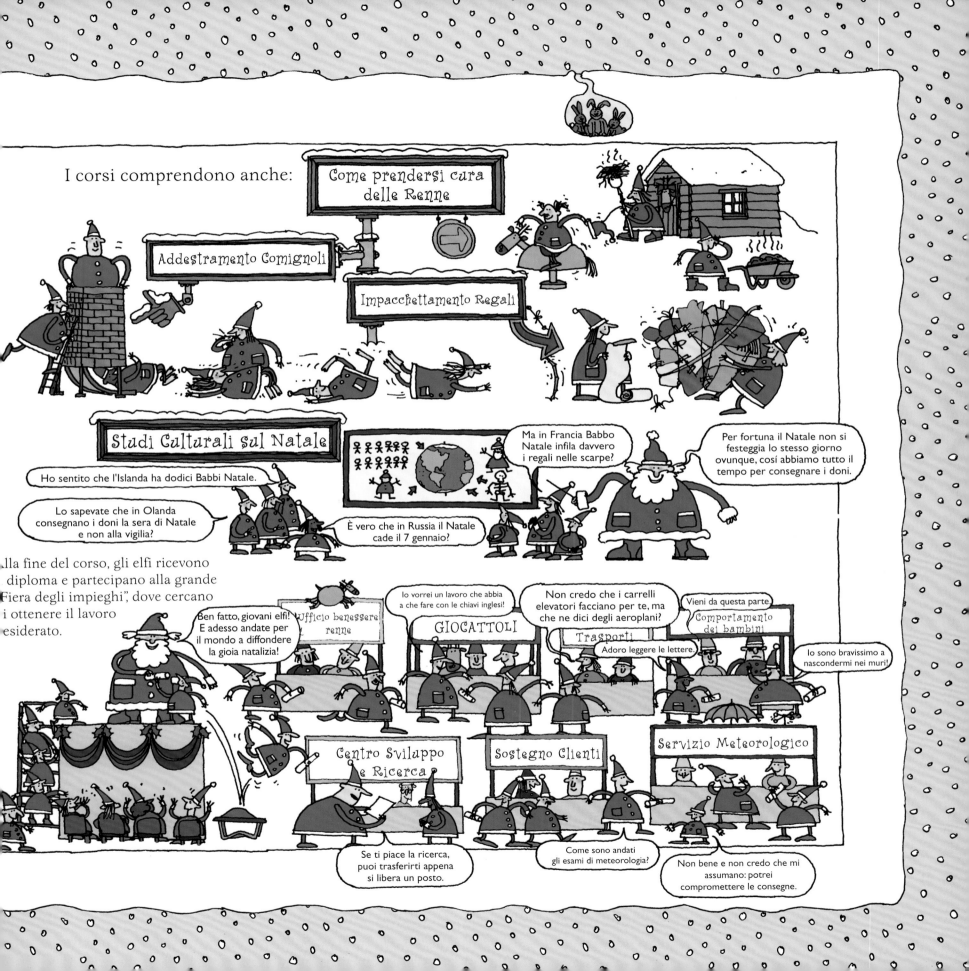

# Come fa Babbo Natale a sapere cosa vogliono i bambini?

Nei mesi che precedono il Natale, molti bambini scrivono a Babbo Natale per dirgli quello che desiderano. È un'ottima idea, perché se lui non sa cosa ti piace, deve tirare a indovinare. Certo, è vero che nessuno come lui sa intuire i desideri dei bambini, ma vale sempre la pena mandargli una lettera.

Caro Babbo Natale, vorrei un dolce al cioccolato, qualche ciambella, un vaso di marmellata ai mirtilli, otto tavolette di cioccolata... e poi, mi chiedevo, potresti procurarmi un sottomarino funzionante? So che questa è la quinta volta che ti domando la stessa cosa, ma il fatto è che i sottomarini mi piacciono davvero tanto tanto. Una bici azzurra sarebbe fantastica, ma se non è possibile, mi piacerebbe un cucciolo di ippopotamo. Un abbraccio, tuo Eddy

Caro Babbo Natale, vorrei un alligatore, un camion pieno di torte e quindici paia di occhiali da sole. Con affetto, Giovanni

Caro Babbo Natale, mi mandi per piacere un nuovo cervello per capire la matematica? Se non puoi, potresti mandarmi un go-kart e dodici pennelli? Grazie! Un bacione da Roberto

Caro Babbo Natale, ti è possibile spedirmi un kit del Piccolo Chimico che sia MOLTO pericoloso, e magari degli abiti NON infiammabili? Ciao, Clara

Caro Babbo Natale, ti prego di leggere l'acclusa lista. Non posso aspettare fino a Natale, per cui spediscimi subito i regali. Li attendo per domani. I miei più distinti saluti, Isabella

Caro Babbo Natale, sono stato buonissimo. Potresti portarmi tutte le calze che riesci a mettere insieme? So che un sacco di gente le detesta, per cui potresti mandarmi anche le loro? Ne sarei immensamente felice, visto che ho già un'ampia collezione e sono alla continua ricerca di soggetti nuovi e interessanti. Cordialmente, Tony

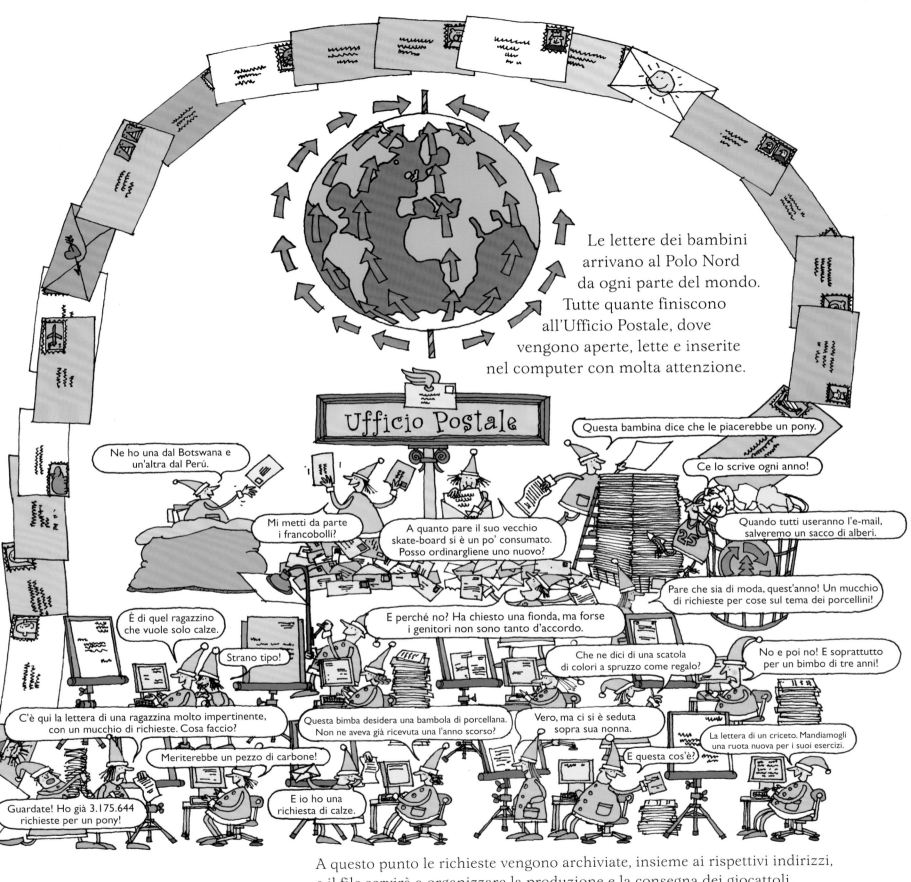

# Ricerca e Sviluppo

# Da dove vengono i giocattoli?

Il Reparto Giocattoli si occupa della miriade di regali che Babbo Natale distribuisce ai bambini. Nella sezione Ricerca e Sviluppo si studiano le idee suggerite dai bambini, alcuni particolari vengono inventati sul posto, e cosí nasce un nuovo giocattolo. Certo, non è un lavoro semplice e spesso richiede molto tempo, qualche volta anni!

Secondo me bisogna farlo di legno e poi dipingerlo di un bell'azzurro luminoso. Cosí sarebbe fantastico e di notte lo vedremmo brillare!

Io penso che dovresti aggiungergli le ruote.

E se ci mettessimo le ali?

E se riempiamo lo stampo con una siringa, potremmo mangiarci le parti che colano dai lati.

Se lo facciamo di marzapane, una volta che hai finito di giocarci te lo puoi pure mangiare!

## IDEE&IDEE

La sezione Ricerca e Sviluppo ha quattro reparti e il primo si chiama "Idee&Idee". Qui Babbo Natale e un esercito di elfi si riuniscono e cominciano a studiare i suggerimenti dei bambini per farsi venire nuove idee.

## PROGETTAZIONE

Nel reparto "Progettazione" altri elfi decidono "come" costruire i giocattoli. Devono pensare ai materiali, alla realizzazione e ai bambini, e soprattutto devono essere bravi a disegnare.

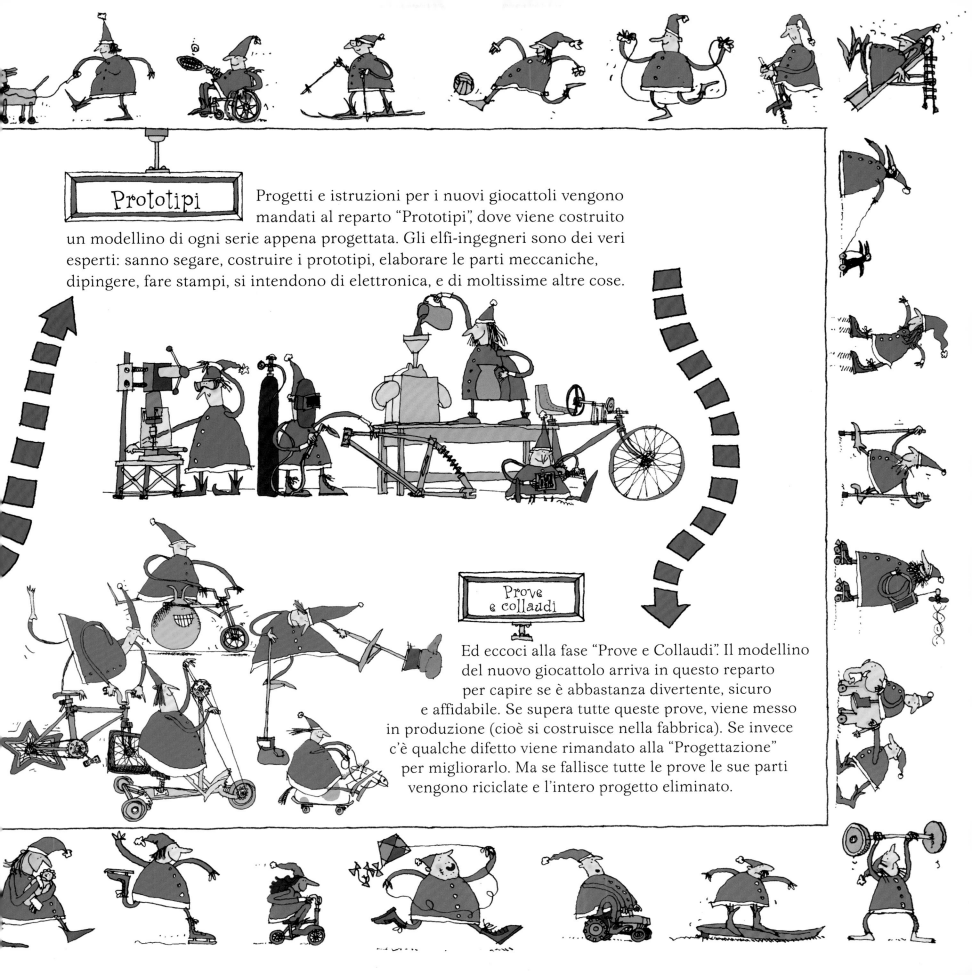

## Prototipi

Progetti e istruzioni per i nuovi giocattoli vengono mandati al reparto "Prototipi", dove viene costruito un modellino di ogni serie appena progettata. Gli elfi-ingegneri sono dei veri esperti: sanno segare, costruire i prototipi, elaborare le parti meccaniche, dipingere, fare stampi, si intendono di elettronica, e di moltissime altre cose.

## Prove e collaudi

Ed eccoci alla fase "Prove e Collaudi". Il modellino del nuovo giocattolo arriva in questo reparto per capire se è abbastanza divertente, sicuro e affidabile. Se supera tutte queste prove, viene messo in produzione (cioè si costruisce nella fabbrica). Se invece c'è qualche difetto viene rimandato alla "Progettazione" per migliorarlo. Ma se fallisce tutte le prove le sue parti vengono riciclate e l'intero progetto eliminato.

# Dove sono costruiti i giocattoli?

Nel mondo segreto di Babbo Natale il posto piú incredibile del Reparto Giocattoli è la Fabbrica di Giocattoli, o, come viene chiamato, il Reparto Produzione. È sempre attivo: 24 ore al giorno, per sette giorni a settimana, con turni di 8 ore. Qui gli elfi lavorano volentieri, perché sannoche i bambini stravedonoper i giocattoli.

Tutti insieme chiacchierano e cantano, e qualche volta uno di loro legge ad alta voce una storia, attraverso un sistema di comunicazione interna.

Prima di lasciare il Magazzino, ogni giocattolo viene accuratamente impacchettato ed etichettato: è pronto per il Reparto Spedizioni.

# Chi organizza l'invio dei regali?

Quando si avvicina il Natale, spedire i regali è una faccenda seria. Per questo al Reparto Spedizioni, dove gli addetti provvedono all'invio dei pacchi, ogni cosa è ben organizzata. Il computer centrale stampa gli ordini e il capo-spedizioniere li legge a un microfono collegato col Magazzino.

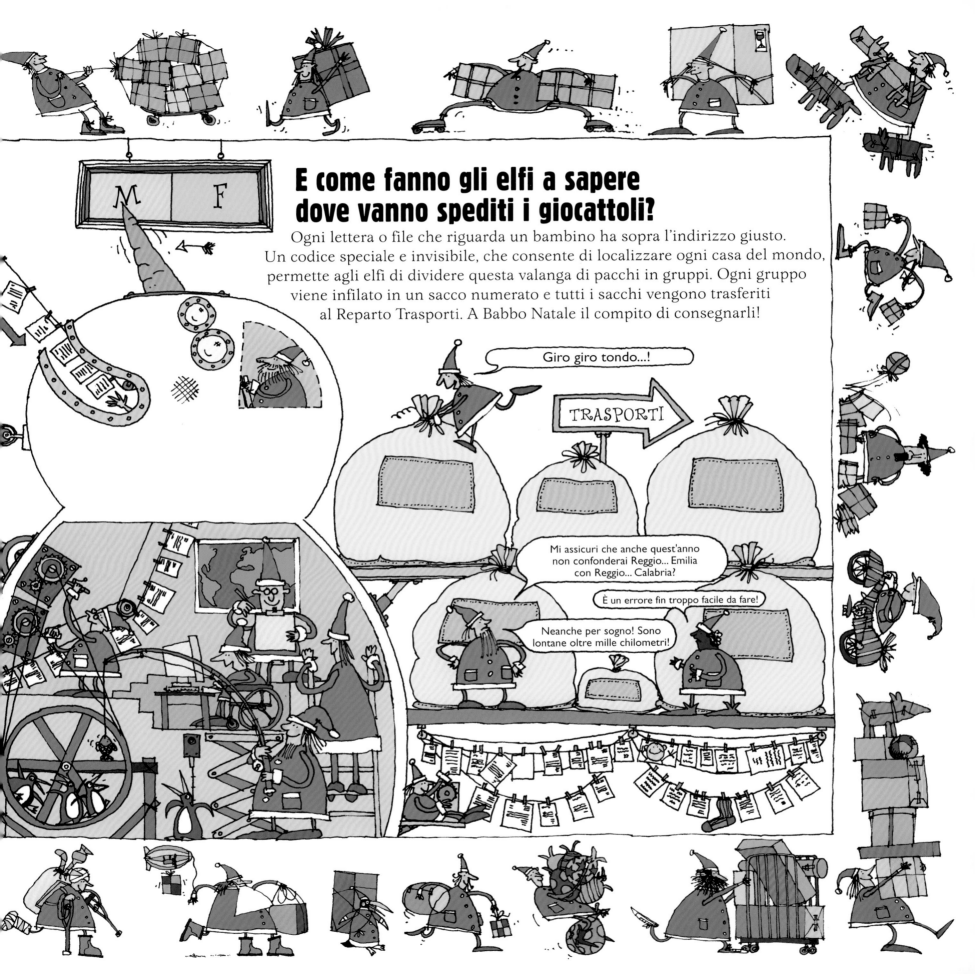

# E come fanno gli elfi a sapere dove vanno spediti i giocattoli?

Ogni lettera o file che riguarda un bambino ha sopra l'indirizzo giusto. Un codice speciale e invisibile, che consente di localizzare ogni casa del mondo, permette agli elfi di dividere questa valanga di pacchi in gruppi. Ogni gruppo viene infilato in un sacco numerato e tutti i sacchi vengono trasferiti al Reparto Trasporti. A Babbo Natale il compito di consegnarli!

# Come fa Babbo Natale a trasportare i giocattoli sulla slitta tutti in una volta?

E come fa ad avere il tempo sufficiente per continuare a volare dal Polo Nord e ritorno? E poi, Babbo Natale non sbaglia mai, consegna sempre i regali in tempo, qual è il suo segreto? Semplice, si fa aiutare da moltissimi assistenti. Per cominciare, gli elfi caricano fino al massimo della capacità i piú svariati e fantasiosi mezzi di trasporto.

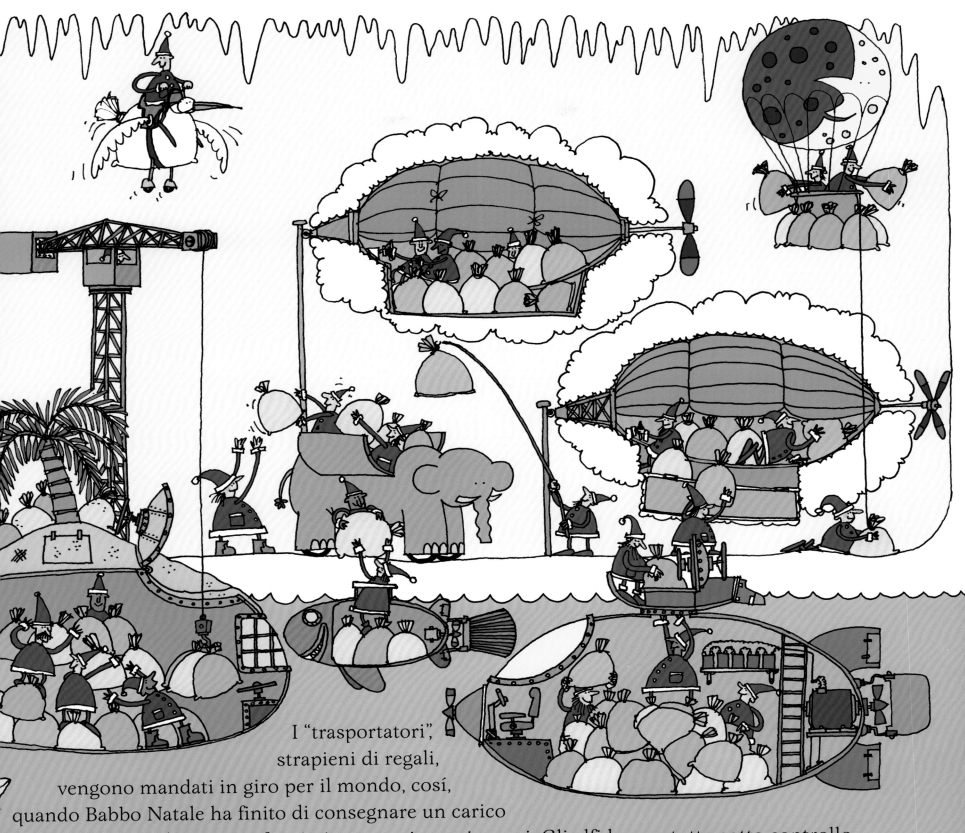

I "trasportatori",
strapieni di regali,
vengono mandati in giro per il mondo, cosí,
quando Babbo Natale ha finito di consegnare un carico
e gliene serve un altro, può rifornirsi su questi strani mezzi. Gli elfi hanno tutto sotto controllo
e già molte settimane prima di Natale provvedono a posizionare i loro "trasportatori". I veicoli
vengono camuffati per non essere avvistati. Cosí, se ti capita di viaggiare su una nave
nel periodo di Natale, tieni d'occhio gli isolotti dalla forma strana!

# Le slitte di Babbo Natale

**Scala 1/60**

Babbo Natale ha due slitte: una attrezzata per raggiungere i posti piú lontani, e quella tradizionale per le consegne in città. La loro costruzione e manutenzione è curata dal Reparto Trasporti.

## Slitta "speciale" (per la campagna)

- sacchi di regali
- Babbo Natale
- barba
- parabrezza
- elfo
- alettone
- contenitore elio
- contenitore elio
- serbatoio carburante
- motore a reazione
- pattini
- pseudo-renna fluttuante

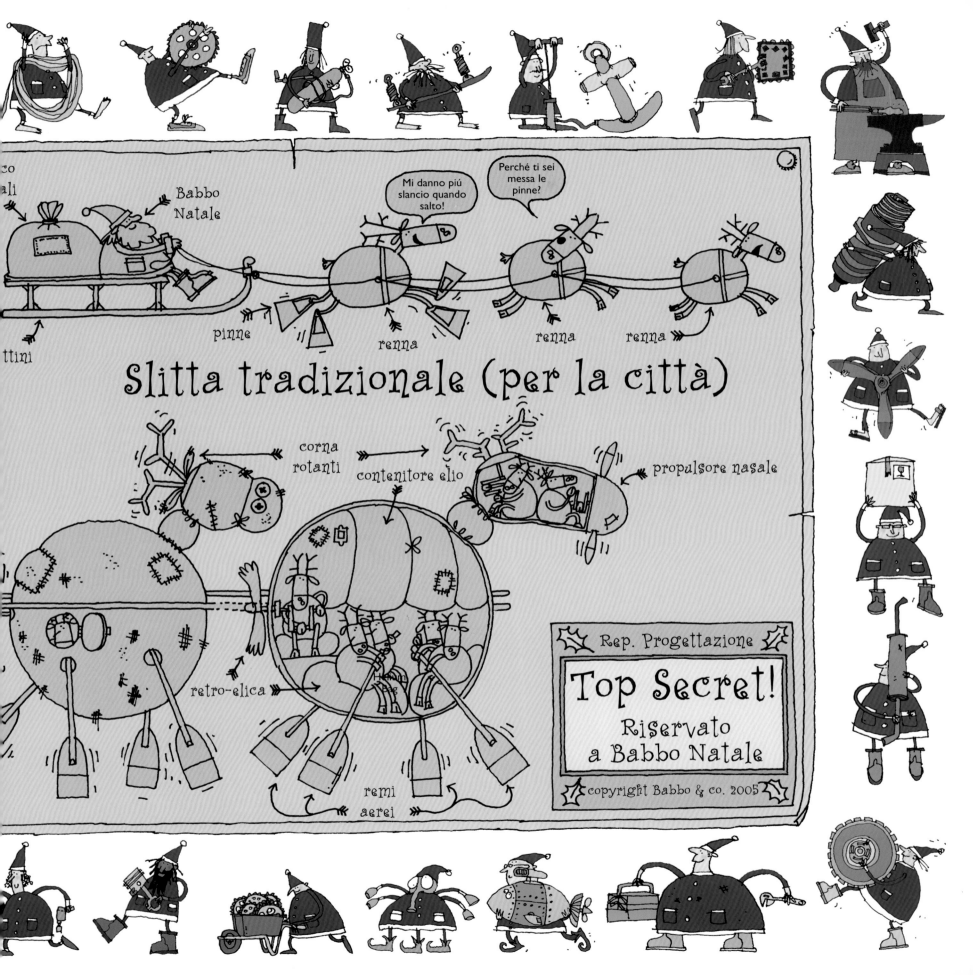

# E poi che cosa succede?

Alla vigilia di Natale, esattamente alle ore 4.37 del pomeriggio, Babbo Natale parte per il suo giro per il mondo. Iniziando da est e procedendo via via verso ovest, sorvola tutti i fusi orari e si rifornisce di regali dai trasportatori a mano a mano che ne ha bisogno.

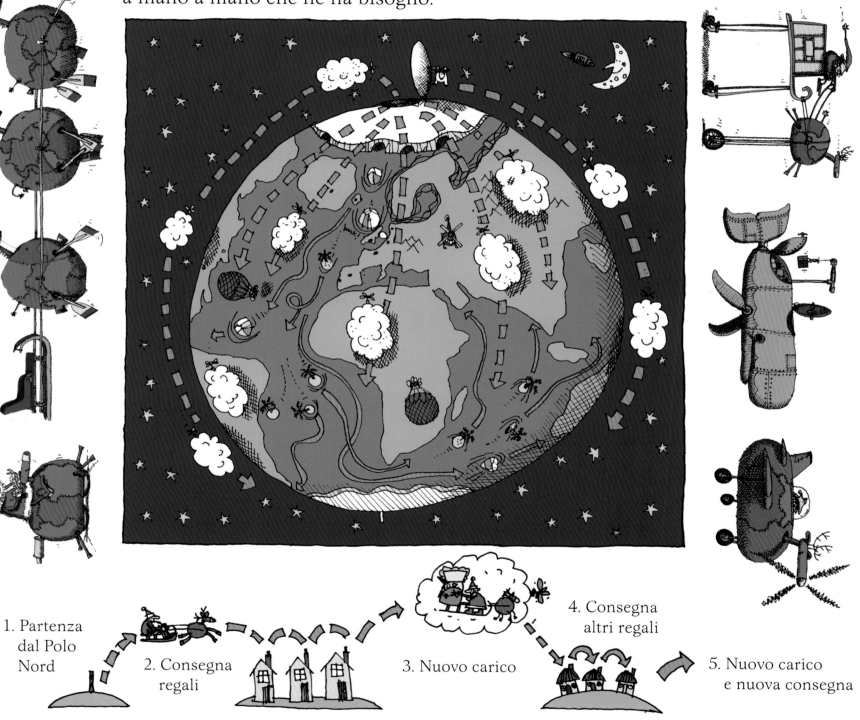

1. Partenza dal Polo Nord

2. Consegna regali

3. Nuovo carico

4. Consegna altri regali

5. Nuovo carico e nuova consegna

# Come fa Babbo Natale a scendere dai comignoli?

Come tutti, pensi che Babbo Natale sia un ciccione, invece è magrissimo!. Quando si vola ad alta quota in pieno inverno fa un freddo terribile: perciò lui indossa un abito speciale col riscaldamento incorporato. Appena arriva a casa di un bambino, non fa che sgusciare fuori dal vestito e infilarsi nel comignolo, oppure entrare dalla porta o dalla finestra.

Entrare nelle case della gente richiede un certoallenamento. Perciò durante l'anno Babbo Natale fa molta ginnastica, piegamenti, flessioni e stretching. (Non a caso è appassionato di yoga e di alpinismo). È cosí che si mantiene sempre agile e snello. E, per uno della sua età, è proprio in ottima forma!

I camini sono facili, ma mi sporco parecchio.

Le finestre sono molto piú complicate.

Per le porte devo esercitarmi ogni giorno.

# A che ora arriva Babbo Natale?

Difficile dirlo con precisione, ma è sicuro che lui arriva quando tu dormi. Babbo Natale è rapidissimo. Un elfo rimane appollaiato su una casa, e, quando tutti dormono dà il segnale di via libera a Babbo Natale. E mentre i regali vengono consegnati in tutta sicurezza, l'elfo svolazza su un'altra casa.

## Che succede se ti svegli?
Siccome preferisce non far sapere quant'è magro, Babbo Natale ha un abito d'emergenza da far scattare se un bambino si sveglia. Si gonfia all'istante di elio, che è più leggero dell'aria, e perciò gli permette di accelerare la sua fuga dal camino.

Se
decidi
di lasciare
qualche dolcetto
per Babbo Natale e le sue
renne, il pensiero è gradito, perché lo
aiuta mentre fa le consegne. L'importante però è
non dargliene troppi, perché se tutti facessero cosí... prima o poi il
povero Babbo Natale rimarrebbe davvero incastrato in un camino!

# Il Giorno di Natale!

Babbo Natale è pronto per il suo viaggio di ritorno verso le prime ore della mattina di Natale. Un po' piú tardi i bambini cominciano a svegliarsi. Certe volte Babbo Natale mette dei piccoli regali nelle loro camerette, da aprire non appena svegli. Oppure li infila in una calza, quando sono bene in vista. I regali piú importanti preferisce sistemarli sotto l'albero di Natale, se lo trova, pensando che l'intera famiglia si divertirà un mondo ad aprire i pacchetti. Non c'è niente di piú difficile per un bambino, che aspettare che tutti siano svegli e siano pronti ad aprire i regali. Spesso è un'attesa addirittura insopportabile. Per cominciare, mamma e papà ci mettono tanto a finire il caffè. E poi c'è sempre qualche vecchia zia che insiste a porgere i pacchetti mooolto, mooolto lentamente: è una cosa che dovrebbe essere vietata da una legge speciale!

Finalmente tutti i regali sono stati aperti, si comincia a giocare! I bambini che si sono comportati bene riescono a ricevere le cose che hanno chiesto, a patto che non siano troppo costose o pericolose. Lo stesso non si può dire per le birbe. Ai vecchi tempi, Babbo Natale lasciava loro dei pezzi di carbone. Ma ormai non è più cosí severo, però meglio rigare dritto...

... perché non si sa mai cosa può succedere...

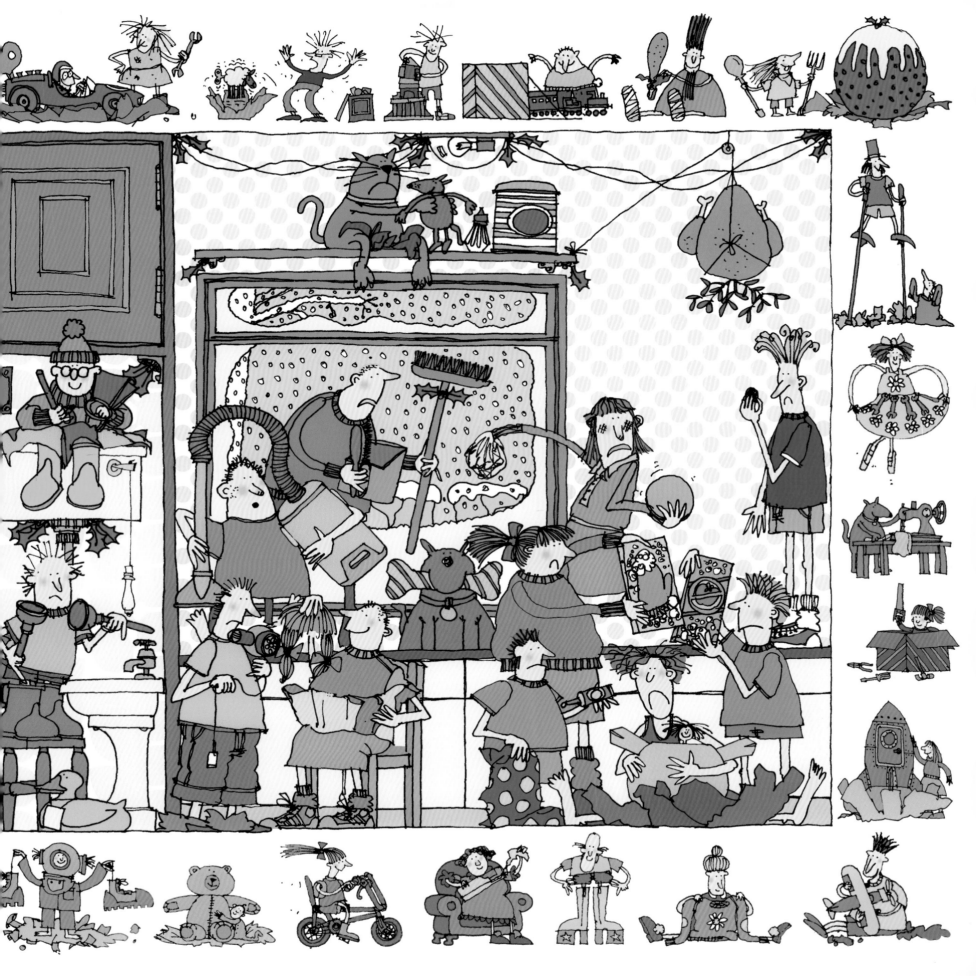

# Che cosa fanno Babbo Natale e gli elfi, il giorno di Natale?

*Fanno una grande festa!*

E poi se ne vanno a dormire...

Fino al prossimo Natale...